눈물이 난다,
당신 때문에

눈물이 난다, 당신 때문에
저 먼 기억 속에서 눈물이 난다.

눈물이 난다, 당신 때문에

발 행 | 2023년 12월 11일
저 자 | 문영순
펴낸이 | 한건희
펴낸곳 | 주식회사 부크크
출판사등록 | 2014.07.15.(제2014-16호)
주 소 | 서울특별시 금천구 가산디지털1로 119 SK트윈타워 A동 305호
전 화 | 1670-8316
이메일 | info@bookk.co.kr

ISBN | 979-11-410-5851-7

www.bookk.co.kr

눈물이 난다, 당신 때문에

문영순 시집

부크크

글을 시작하면서

사람에게는 누구나 아픈 기억들이 있기 마련입니다. 사람이 태어나서 누군가에게 상처를 주지 않고 살 수 있었으면 좋으련만 그렇지가 못한 것이 또한 사람이 처한 현실이기도 한 것이 진실이며 우리는 조금씩은 누군가에게 상처를 주고받으면서 인생을 살아가고 있다고 생각합니다. 사람에 따라서 정도의 차이는 물론 있지만 사람으로 나서 성장해 간다는 것은 사랑보다는 상처들이 모여서 나라는 어떤 한 인격체로 완성되어지는 듯싶습니다. 이 책의 내용은 작가인 나 자신이 겪은 것을 그대로 시로 써서 깊은 상처를 드러낸 것들입니다. 오랫동안 쌓아 두었던 이야기를 한 권의 책으로 다시 만든다는 것은 절제된 감정이 많이 필요한 것이라서 감정이 정리되는 듯도 하였습니다. 혹시라도 저와 같은 상황에 있으신 분들이라면 조금이나마 위로가 되셨으면 좋겠고, 저보다 더 큰 고통 가운데 계신 분들이라면 하나님의 위로가 함께하셨으면 좋겠습니다.

저자 문영순

목차

■ 글을 시작하면서

◼ 글을 마치면서

눈물이 난다, 당신 때문에
저 먼 기억 속에서 눈물이 난다.

그 기억들이 나에게는 악몽이었으면 하지만
그것들이 또한 나에게만은 현실이 되고 있는 것을 내가
어떻게 피할 수가 있겠는가.
살아서 내가 어찌 그 아픈 기억으로부터 도망칠 수 있을
것인가 싶다.

1. 서슬 퍼런 네 말을 듣고

사람이 세월이 가서
늙으면 변할까.
세월이 낡아지면 그럴까.

그 사람 모습은 쭈그러졌으나
말하는 혀는 아직 서슬이 퍼런
칼날의 베임이 있네.

아,
세월이 가서
그 사람을 꺾는 것이 아니로구나,
세월이 가서 더 뻣뻣하게
그 뼈가 굳어져서 구부러지지 않는구나,
부러지기 쉬우나 굽어질 수 있는 게 아니구나.

사람이 세월이 가면
선해질까. 나아질까,
죽을 때가 되면 괜찮아지겠거니 하는데
하나님은 너는 사람을 모른다신다.

마음은 죽어도 안 변하는데
죽을까 하면 숨이 있는데
얼마나 그 서슬이 퍼렇겠니, 하신다.
나 아니면 사람은 칼의 혀를 물고서
그대로 죽을 뿐이라고 하신다.

2. 내게는 그런 이름들이 있다.

생각만 해도 그리운 이름이 있고
생각도 전에 분노가 이는 이름이 있다.
생각만 해도 위로가 되는 이름이 있고
생각도 싫은 미운 이름이 있다.

생각하고 싶은 이름
생각을 지우고 싶은 이름
내게는 그런 이름들이 있다.
잊고 싶어도 잊어지지 않고
살 속으로 파고들어 상처를 후벼 파는 이름도.

오래 기억 속에 남기고 싶은 이름과
최대한 빨리 기억에서 몰아내고 싶은 이름이
섞여져 추억이 되어 버린 삶.

싫지만 부정할 수 없고
다시 돌아가 살아서 지금만큼 와서
다 지워 버릴 수 없으니
어느 날에는 내 심장이 도려내지는
극심한 통증으로 죽음 같은 날도 맞으며
인생이 쓰다 쓰다고 생각을 한다.

3. 시간이 갈수록 더 아픈 상처도 있다.

시간이 가면 잊어지는 것은
아무 일 없이 지나간 시간들이다.

시간이 가도 잊어지지 않는 것.
시간이 갈수록 더 아파지는 것은
내게 깊은 상처를 남긴 것.
자존감에 피를 낸 흔적들이다.

자존심을 찔린 상처는
살면서 만회할 수 있어서
시간이 간다고 더 아파지는 것은 아닐 수도 있지만

자존감에 상처는 내 존재에 대한 상처를 내고
지나간 시간들을 시간이 가면 더 깊어지고, 슬퍼지고
가슴이 더 무너지는 아픔들인 것 같다.

시간이 가면 잊어진다고
그것은 그런 종류에만 해당하겠지.
세상에는 시간이 가면 더 잊혀지지 않아서
더 괴로운 고통의 시간들이 오는 것들도 있다.

4. 내게는 감당하기 힘든 옛이야기

누구는 옛이야기를 신이 나서 하겠지만
나는 기억조차 하고 싶지 않은 슬픈 아픔

아픈 상처가 진주 목걸이처럼
내 눈물을 통해서 비춰지는 것 같아서 싫다.

매일매일의 두려웠던 날의
내가 불쌍해져서 나는 어린 날
그 옛날을 생각조차 하고 싶지 않은 고통

누구는 우리 엄마는 이랬었다고
자랑하면서 그리워하지만
나는 그 사람 이야기 속에서 울고 있는
나를 보아야 하는 원망

나는 어린 날의 나를 기억하지 않고
남은 인생을 살 수 있으면 좋겠는 것이
내 속의 아픈 상처가 다시 성나지 않게
덮어 주고 싶은 것이기 때문이다.

누구는 어릴 때 이야기가 신이 나서 하지만

나는 그 듣는 것조차도 힘겨워지는 숨 참
내가 그때 무작정 상처가 났었다는 것이
지금도 기억되면 감당하기 힘이 들어서.

5. 보이는 것보다 더 아픈 상처

흔적 없는 상처가 더 아프다.
아무도 모르는 나만 기억하는
보여지지 않는 상처가 나를 더 괴롭힌다.

보이지 않으니, 공감이 되지 않아서
동정도 못 받는데
내게는 잊을 수 없는 상처,
그 흔적도 없으면서 나를 아프게 하는 지옥

흔적도 없고
피도 안 나는데
피가 나고 부러진 상처보다
오래 심장 깊숙이 박혀서
그 뛸 때마다 아픈 것.
나만 알고, 나만 아픈 외롭고 고독한 아픔이다.

흔적 없는 상처가 더 아프다는 걸
그 상처가 있는 사람은 안다.
영혼까지 목을 조르는 상처라는 것을
십자가에 못 박혀 억울하게 죽어 주신
그 예수 그리스도를 만나야 해결된다는 것을.

6. 괴물 같은 사람

내게 아픔만 되는 이름이 있다.
부르고 싶어도 내가 죽을 것 같아서
그렇게 저 밑바닥에서부터 일어나서 오는
그 분노가 나를 죽이려고 달려들어서
도저히 맨정신으로는 부를 수가 없는
그런 이름이 있다.

아, 생각도 말자.
생각이 나려고만 해도
저리어 오는 이름이 있다.
그리움의 저림이 아니라 내 눈을
내 심장을, 내 영혼을 찌른
그 칼날의 저림이 있는 이름.

내게는 내 안에서
찢어 버리고 싶은 이름이 있다.
그 이름은 내 안에서 죽어 버렸다.
그래서 무덤에서 다시 꺼내 부르고 싶지 않은
그런 괴물 같은 이름이 있다.

7. 얼마나 안 된 인생인가.

내가 너에게
다시 만나고 싶지 않은
그 사람 중의 한 명이라면
나는 또 얼마나 슬픈 인생인가.

너도 나에게
다시 보고 싶지도 않은
그 중의 한 사람이라면
너는 또 얼마나 가엾은 인생인가.

서로가 만나지고 싶지 않은 자로
서로를 향해서 문을 닫아 버린 사람으로 있다면
나와 너, 다 얼마나 불쌍한 인생인가.

여기서는 우리가 지옥이었지만
그래도 죽어서는 서로가 천국이기를
바라야 되는 것이 아닌가.

8. 슬퍼서 나는 울었다.

나는 왜 이렇게 살아야만 하는가 했을 때
인생이 무엇인지도 몰랐었던, 그 어린 때
나는 슬펐었다.

인생은 그런 것이야 하고
하나님이 내게 가르쳐 주신 그때에도
나는 그 어린 날의 내 인생이
많이 슬퍼져서 울었다.

인생이 다 억울하고, 슬픈 것이라고
안다고 해서 슬프지 않은 것도 아니고
아픈 것이 괜찮아지는 것도 아님을
나는 내 슬픔의 기억을 통하여서 알았다.

나는 그때
그 어린 날에
사랑해 주지도 않으면서 채찍과
무거운 짐만 지워지던 그때가
아직도 십자가를 바라보며 아프다.

9. 생각은 나와 함께

생각을 하자 사람이 떠오른다.
먼저 사람이 먼 기억 속에서
내게로 나오면서 말하고 있는 것을 본다.
내가 그 사람에게 말하고 있는 것도 본다.

기억의 그 어디에서
내 몸의 그 어디에서
생각은 아직 머물고 있었다.
나는 다 지나갔다고 생각했지만
안 가고 아직 거기 먼 어떤 곳에서
기억해 주기까지 기다리고 있었던 것이다.

슬픈 생각이다.
아픈 생각이다.
그런 것들은 지나가는 게 아니었다.
내 살 속의 그 어딘가에 남겨져 있는
나의 일부분이 되어져 있는 것들인 것이었다.

생각을 내가 하자
무슨 계기가 되어 그 말을 하게 되자
그 생각은 내 눈물로 와서 너에게도 눈물이 되어

오랫동안 죽은 듯이 기다리던 설움을 말했다.

기억의 그 어디에서
내 생각은 떠나지도 죽지도 않고 있었다.
아프고 슬펐던 생각은 그런 것인 줄을
내가 알지 않기로 했었는데
그렇게는 되지 않는 것이었다.
내 인생이 되어져 나와 함께 살고 있었다.

10. 나처럼 저 사람도

저 사람도 있을 때 보자.
밉다고 생각이 들어도 그러자.
오래 함께하던 개도 그리워지는 게 사람인데
사람이 있다가 없어지면 왜 안 그러겠는가.

그 사람도 잘살고 싶었겠지.
자신이 멋지게 어른 될 것이라고
어린 꿈을 꾸면서 자랐겠지.
내가 그랬었던 것처럼

그런데 저 사람
내 앞에 있는 그 사람
내가 밉다고 마음에서 원망하는 사람
나도 저 사람 앞에
그런 사람으로 있을 수 있다는 것.

내가 그 사람 속을 묻지 않았고
저 사람이 내게 자기 속 마음을
들키지 않으면서 살았을 뿐이라
나처럼 저 사람도 잘 안 살아져서
날개가 제대로 펴지지 못했을 뿐이겠지.

언제 한 번 높이 날아 볼까.
내 날개는 언제나 쫙 펴고
날개로써의 기능을 다할 수 있을까 했었을 것.
내가 그랬었던 것처럼 저 사람도
나처럼 지금 자기 마음에 무엇이 있는 것이다.

저 사람 가면
내가 밉다고 원망했던
그 말들이 다 내 몫이 될 것인데
그러지 말자, 그도 나와 같이
속으로 자기 인생이 맘대로 안 되어서
세상에서 오는 멸시도 꿀꺽꿀꺽 삼키고
혼자서 끙끙 앓다가 죽는다고 눕는 날,

그가 가고 나면 나도 그에게는
세상의 사람들보다도 더 천대하던
그 사람이었구나, 하는 것을 안다.
그때에 내가 그 사람이 내게 다시 온다면
잘할 수 있을 것이라는 거짓된 자기 위로를 하는
그런 사람이 되지는 말자.

11. 너처럼 안 살고 싶었다.

너처럼 안 산다고
나는 절대 너같이는 안 살고 싶어서
내가 네 삶을 비웃으며
왜 저러고 살아서 내가 힘드냐고
속으로 그러면서 내가 너를 미워했었는데

그리고 악착을 떨고 내가 그랬는데
내가 사는 세상이나, 네가 사는 세상이나
다 같은 세상이라는 것을 몰랐었다.
사람에게 허락되지 않은 것들로 가득한
그 속에서 내가 산다는 것을 몰랐었다.

네가 기억이 되고
네가 왜 그럴 수밖에 없었는데
조금은 이해가 되는 그쯤에서
너를 향한 내 마음의 미움도
너를 안쓰럽게 바라보는 눈이 열어졌고

아, 그래, 그래서
네가 그렇게 했었을 수 있었겠지.
그래도 그것은 아니었지.

책임을 졌어야지, 그래도
너 때문에 내가 얼마나 아팠었는데
지금도 내가 그 아픈 상실된 마음을 안고
세상에서 살아가야 하는 고통이 있는데
그러나 이제는 내가 네 아이가 되어
조금은 인간 대 인간으로 이해는 되어진다.

그렇다고 너를 아직 다
내 마음에서 용서를 한 것은 아니다.
그러기에는 네가 나를 떠난 그 시간의 자리가
어떤 것으로도 채워질 수 없기 때문이지.
그래도 너처럼 안 산다고 했었던 그 일들이 내게도
일어날 수는 있겠지만, 나는 그 가능성을 목숨을 걸고
참아내서 나와 같은 또 한 사람을 이 세상에
내보내는 사람은 아니고 싶은 것이다.

12. 죽은 자의 전쟁

내 안의 상처가
내 안의 아픔이
세상에 나가서 전쟁을 치르기도 전에
나를 처참하게 찌르는 것을 본다.

이 전쟁이 내게는 더 무섭다.
내 안에서 기억과 생각이 싸우는
그 일에서 내가 파괴되는 것이지.
세상이 내게 총을 쏴서 내가 죽는 것은 아니다.

내 안의 상처가
나를 아프게 해서 내가 넘어진다.
세상에 나가서 싸울 기력이 없게 한다.
그냥 당하기만 하는 상태로 나를 낮춘다.
미리 포기하며 나는 항상 그랬으니까 하는
그 훈련된 습관 속으로 나를 무너지게

나의 적은 외부에 없는 강한 자
내 안의 적이 나를 죽이는 것이지.
밖으로부터 들어오는 적은 내가 강하면
나를 절대 뚫을 수 없어서

내 혼을 뺏어갈 수가 없는데
내가 내 혼을 그냥 내주어 죽는다.

나는 전쟁터에 나가기 전에
내 안에 있는 아픈 상처가
기억 속에서 생각과 마음으로 나를 먼저 죽여
나는 전쟁 전에 이미 죽어서
세상에 시체로 나가는 것이다.

13. 멈춰 버린 시간들

아픈 기억이 있는 시간은
잃어버린 시간이라고 내가
찾을 수 없는 가버린 시간 앞에서
그때 어렸던 그 사람으로 내가
내 생각 속에서 가서는 서서 운다.

아무도 내게 보상해 줄 수 없어서
내가 용서했지만, 나는 여전히
그 기억의 아픈 자리에서 울어야 하는
이중 삼중고를 겪어 내야만 하는 것이
사실은 용서라는 이름으로 내가 말한 그것이다.

용서하는 자는 그 결과를 남긴다.
누가 이 형편의 내 시간의
저 기억의 과거 속으로 가서
그 나를 위로할 능력이 되어 줄 수 있겠는가.

때로는 하나님의 말씀으로도
예수 그리스도의 삶을 기억하는 것으로도
내가 절대 위로가 안 될 것 같은
그런 우울한 날들도 내게는 분명히 실제로 있다.

위로받지 못하고 내가 버려졌던 시간
인정받지 못하고 내가 밀쳐냈던 시간들
그곳으로 다시 갈 수는 없다.
그러나 기억 속에서 항상 살아 있는 시간
그 큰 암흑의 구멍을 메꿀 수는 없다는 일.

그냥 나와 함께 살아서
나와 같이 가며 죽어야 되는 구멍이다.
그래서 나는 모든 것을 다 이루었다고
사람들이 내게 말해도, 모든 것이 부족기만 한
그 결핍의 가난 속에서 허덕이는 내 혼을
내가 만나면서 살아야 하는 일이 있을 뿐이다.

14. 기억에 남은 뿌리

한동안 생각하지 않기로 했지.
그 기억 속에 남아 있는
내게 일어났었던, 안 지워져서 아픈
그 일들을 말이지.

그런데 꼭 결심을 하고 나면
지나간 일이니 어떻게 할 것인가, 하고
나 스스로 묻고 있기로 하고 나면
기억을 떠올리게 하는 일이 일어난다.

사람들은 저렇게 아무렇지도 않게
말을 하고 있는데, 나만 그럴 수 없는
아픈 마음으로 생각하며 들어야 하는 일이
얼마나 뼈아픈 고통인지를 그들이 알까.

한동안 참기로 한 그만큼 보다
생각하지 않고 묻어 둔 그만큼 보다
더 기억이 깊게 새겨진 것을 내가 본다.
그런 일이 일어난 때에 나는 분노의 불덩어리로
내가 스스로 나를 태우는 죽음의 사자가 된다.

아,
저 악한 기억들이
내게 남은 생명의 뿌리까지 안 죽인 것을
한탄하며 이를 갈고 있는 것이 보이지.
그 악한 아픔은 아직도 나를 다 못 죽인 것에
통곡하고 있었구나를 내가 안다.

15. 잊는 날에

잊는 날에
나는 자유로울 수 있을까.
나로부터 영원한 자유를 찾을 수 있을까.

잊고 싶어도 안 잊혀지는 것이
내 안에서 나를 잡고 대롱대롱 매달리고
나는 그것을 떼어내고 싶지만, 안 되고

잊는 날에 나는 꼭
자유로운 영혼이 될 것만 같은데
삶이라는 것이 또 아니겠지.
내가 지금은 그 착각에 잡혀서 진실을 못 보고 있는걸.

잊고 싶은 것이 있는데
가슴에서 안 떨어지려고, 생각의 끝자락을 틀어잡고
이 낮은 가을에까지 왔구나, 한다.
어쩔 수 없는 내 것이라서 그런가 하니
내 모습인 내가 처량해지지 않으려고 하는
변명의 움직임이 나를 이롭게 하려고 했다.

잊는 날에

나는 나에게서 멀리 갈 수 있을까.
나도 떠나고, 너도 떠나서 아주 멀리 나는
자유로운 영혼 속으로 들어가서 아무 무늬도 없는
무명천같이 순박하게 존재 그 자체로 있을 수 있을까.

16. 하루를 견딘다.

미움을 내 가슴에 담은들
그것이 내게 무슨 유익이 될까 하니,
또 가슴이 그때처럼 아파져서

아팠었던 억울함이
내게로 또 미움이라는 악을 남기고
그 떠난 자리에서 내가
가뭄에 말라 죽어 가는 풀처럼 서 있다.

미워한들 내게 무슨 해갈이 될까.
그러지 말자고, 죽기 전에 말자고
그냥 잊고 너로 살자고 풀처럼
시들 거리면서 내가 내게 말한다.

생각하니, 눈물이 그때보다도
더 진하게 내게서 내게로 나서 오고
나는 서러움으로 충만해졌다.

미움도 품지 말고, 사랑도 품지 말고
그냥 있는 존재 그 이상으로는 품지 말자고
내게 다을 또 그렇게 하고서는 하루를 견딘다.

17. 낙심이 일으키는 원망 때문에

자꾸 낙심이 된다.
마음이 밑으로 내려가면서
나는 왜 안 되는가 한다.

욕망이 아직도 살아 있다.
저것이 되고 싶다고 말하면서
너는 왜 우유부단하고, 용기가 없냐고
자신감 없는 나를 더 용기를 못 내게 한다.

자꾸 낙심이 되는 것을
성격이 이런 것을 내가 어떻게 할까 한다.
이런 성격이 아니었으면 하다가
어릴 때에 그렇게 안 키워졌으면
나는 지금 이러지 않았을 텐데 해 보고,

갑자기 우울해졌다.
왜 내게 그랬을까 해서
참았던 억울함이 와서 내게 하는 말을
내가 또 들어야 하는 아픔을 만났다.

정말 다시는 안 만나서

없는 것처럼 꾹 눌러 놓고 잊은 채로
인생이 끝나는 지점까지 가고 싶었는데
낙심이 되는 날이면 언제나 원망 섞인 아픈 기억들이
내게로 와서 하소연하는 것들을
변함 없이 더 아파하며 들어야만 한다.

낙심하지 말자고 하지만
그런다고 마음이 그 말을 명심하지는 못한다.
나는 왜 그런가 하는 날에
욕망이 내게로 와서 용기 없는 나를
더 비참하게 짓밟는 것을 보게 한다.

그럴 때마다 우울해지는 것을 알면서도
나는 되돌이표 같은 삶의 패턴을 못 바꾸고서
질질 인생 내내 끌고 가고 있다.
왜 이러고 있는지 한심하다 생각이 되기도 하지만
어릴 때 만들어진 성격을 못 고쳐서
여전히 나는 이러고 산다 싶어서 눈물이 난다.

18. 잊고 살리라 그랬건만

잊고 살리라
잊고 살리라
다짐을 하고 또 결심을 다 했건만은
어느 날 폭풍처럼 일어나서 나를 후려치는
불 부지깽이가 있어서 폭발을 하는 분노.

잊으리라
잊어야 한다고
그렇게도 내게 타이르고 단속을 했건만은
어느 날에 빗장을 부수는 천둥소리가 나와서
번쩍이고 번갯불을 부르더니 나를 쳤다.

번개 맞은 인생이
까맣게 탄 그때의 자기를 보고는
더는 참지 않으리라
이제라도 말하리라
그리고 나온 것이 저주와 악담이었다.

한잠을 지나서
폭풍 치던 바다의 풍랑이 가라앉고
고요한 순간이 찾아와서 본 자신은

스스로를 책망하면서 또 울고 있었다.

너 혼자서 잊고 살자면
그것이 잊어지리라 생각했느냐고
그냥 잊지 말고, 포기하지 그랬냐고
하나님께 맡긴다더니 완전히는 주지 못해서
그 끄트머리는 끝내 쥐고 있었던 게냐고
그러고 있는 나를 보고 있었다.

잊고 살리라 그랬지.
이제 와서 어쩌겠냐고, 잊자고 그랬었지.
그런데 전혀 안 잊자고 했었던가 보다.
절대 잊고서는 못 산다고 결심했던가 보다.

잊지 말고 하나님께 버리자고
내던져서 하나님께 맡기자고
타이르며 내게 말해 보자.
내 안에 상처 입은 나에게로 가서 설득해 보자.
그러면 위로가 되어서, 그러자고 하려나 물어나 보자.

19. 내가 아는 그날

어떤 날
그날
나는 그랬었지.

어떤 날
내가 아는 그날
나에게는 그런 일이 있었었지.

눈물 나고
멸시당하던 그런 날이 내게 있었고
존재에 대한 모멸감을 느꼈었지.

아팠다.
그때에 나는 혼자서 나를 아파했었다.
어떤 날, 그날에 나는 그랬었다.
좌절의 절망 속에서 존재가 죽을 것 같은
어둠을 만났었다.

어떤 날
그날
내가 그랬었던 날을

절대로 기억하고 싶지는 않지만
절대로 기억하게 되기만 하는 것을
인생 속에서 또 견뎌야만 하는
그런 고통 속에 빠져 있어야 하는 것을 본다.

어떤 날
그날의 아픔이
여기까지 따라올 줄은
그때에는 절대 몰랐었는데
그 무서운 일이 지금까지 내 안에서
나를 붙들고 괴로움을 주고 있다.

벗어나려고 해도 감겨지는
보이지 않는 슬픔이 나를 잡는다.
어떤 날
그날에 너는 그런 일이 있었었다고
기억해 내도록 강요하며 괴롭히는 날에
나는 절대 잊혀지지 않는 그 기억 속에서 다시 아파진다.

20. 너를 안 미워할 수 있었으면

내가 너를 안 미워하고
그냥 좀 보아줬으면 좋겠다.
그럴 수 있었으면 내게 더 좋겠다.

생각 속에서 나는 네가 밉다고
말하는 내 기억을 만나서
나는 괴로움에 놓여지게 되는
옛일의 상황으로 갇히고 싶지가 않다.

내가 너를 그냥 놓을 수 있으면
얼마나 내게 좋겠는가 한다.
끈질긴 내가 내 안에 또 있어서
나는 스스로 비애의 깊은 늪에 빠지며

너는 왜 내게로 와서는 나의 미움이 되어졌는가.
너만 없었으면 내 인생은 달라질 수 있었을 텐데 하는
그 생각이 나를 바짝 휘어잡으면
너를 안 미워하고는 배길 수가 없어져 괴로워지고

내 인생에서 너를 만날 줄 알았다면
네가 그런 사람인 줄

나는 너를 멀리 두고, 멀리 돌아서 왔을 것인데
예지력이 없는 인생이 아파하며 있다.

21. 존재의 상실감을 느꼈었다.

어떤 날에 그랬지.
바로 그날에 그랬었지.
사람들은 다 잊었지만, 내게만 남아서
정확하게 기억되는 날에 그랬지.

그날 나는 많이 아팠었다.
외로웠었고, 의지할 데가 없었었다.
속으로 울면서 인생의 고독이 무엇인지
존재의 상실감을 느꼈었다.

어떤 날, 바로 그날에
나는 내가 아주 작아져서
한 점으로도 안 보여졌었다.

그래서 눈물도 흘릴 수가 없었다.
안 보여지는 것 같았지만, 분명히 있는
한 존재인 내가 속으로 울었었다.

말로 형용할 수 없는 슬픔과
비참함이 몰려왔었던 그때, 그날에 나는
사람은 결국 혼자라는 것을 깨달았다.

그 짐을 지기에는 아직 어린 날에 말이다.

그런 어떤 날은
단 한 번으로 끝나지는 않아서
어떤 날들이 되어지고 있었지.
침울한 내가 되어지고는 있었던 것이었다.
존재한다는 것에 대한 이유가 와서
너는 왜 사느냐고 묻기 시작했었다.

그때, 나는 왜 사는지를 몰랐었다.
왜 그리고 사는지도 그래서 몰랐었다.
그래서 막막했고, 자신감이 소멸되고만 있었지.
존재의 가치를 상실하라는 명령을 받은 것처럼
나는 그런 날에 무너졌었다.

22. 너에게는 안 돌아갈 운명

너를 두고 생각을 하니
미움이 기둥처럼 서서 말한다.
너는 내게 그렇게 했었다고 말해 줘서
너를 생각하는 것을 거기서 멈추게 한다.

그 일 때문에
너에 대한 좋은 점들을
나는 다 잃게만 된다는 것을
아마 너는 모르고 있을 것이다.

내 생각의 저 너머의
깊은 나도 모르는 그 골짜기 깊은 곳에는
너 때문에 아팠었던 눈물이 고여서
여전히 현실 속에서 흐르고 있는 것이다.

내가 너를 두고 좋은 생각을 하다가도
문득 너를 향한 미움이 끄떡없는 기둥처럼
내 생각의 앞을 가로막는 일이 있어서
나는 너를 미움 속으로 놓아 버린다.

그러지 말지.

너는 왜 그랬었어라고 해도
지나간 것이라서 서로가 되돌릴 수도
되돌아간다고 해도 나는 너를 이미 알았기에
절대로 너에게는 다시 돌아가지 않을 것이다.

하나님만이 원상으로 모든 것을 회복시키실 수 있는
에덴동산의 회복을 위한 역사가
지금 그분 안에서 진행되어지고 있으니
나는 그곳으로 돌아갈 것이다.
너에게는 이제 안 갈 것인 운명과
하나님도 나를 다시 너에게는 보내시지 않을 것이고,

그러지 말지 그랬냐.
이제는 되돌릴 수 없게 됐구나,
서로가 악연으로 만나게 돼 있었는가.
너는 나를 악으로 보고 죽이려고만 했었었지
나를 괴롭혀야만 네 생명이 사는 것처럼 독하게도.

서로가 불행해졌다.
그때도 그랬었고, 지금도 그러고
우리는 서로가 다른 길을 가고 있다.
나는 하나님을 택했고, 너는 땅을 믿기로 하고

나는 너를 떠나서 하나님께로 갈 것을 소망한다.
너 때문에 땅에는 안 있고 싶어
나는 늘 하늘을 소망했었다.

거기에는 내 기쁨과 행복이 있을 것 같아서
그곳에 가는 것이 내 소망이 되었었고
지금도 나는 그곳이 오직 소망일 뿐이다.

23. 내 아픔이 얼마나 크면

너는 내게 미운 사람이지만
불쌍하다고 생가하기로 하니
마음이 한결 편해져서 좋은데
그러는 내가 더 불쌍해지는 때가 있다.

내 아픔이 얼마나 크면
너에게로부터 온 상처가 얼마나
감당하기 힘든 것이었으면 나는
너를 불쌍하게 생각하기로 해서
나를 위로하기로 하는가 싶어져 슬플 때가 있다.

너는 왜 그랬느냐고 해 보지만
너도 그러고 싶지 않았는데, 그랬을 수도 있다고
뜻대로 살아지는 것이 인생이 아니듯이
마음대로 되지 않는 게 마음이라서
너는 너도 속이면서 그랬을 것이라고,
생각해 보기로 하면서 나는 위로를 얻는다.

너는 내게 참으로 잊을 수 없는
잊혀질 수 없게 못처럼 박혀 버린
밉고, 버리고 싶은 그런 한 장면이지만

사람이라서 찢어서 버릴 수는 없으니
불쌍하게 생각해 버리기로 한다.

네가 내 눈에 보이든 안 보이든지
생각 속에 콕 박혀 있는 너는
언제나 나의 아픈 상처로 있고
나는 그 자리에서 울고 있고
네가 밉지만, 나의 약한 때를 떠올리며
그때의 나를 보게만 한다.

그때의 네가
그때의 내 아픔이
지금까지 기억 속에 남아서
나를 괴롭게 할 줄을 너도, 나도 몰랐었지.
너를 용서했지만, 밉지 않은 것은 아니다.
불쌍하게 여기기로 했지만, 좋아할 수는 없고
이것이 현실에서 나의 심정인 것이 또 아프기만 하다.

24. 할 말이 없다.

네 머리도 희고
내 머리도 희어지고
둘 다 늙어질 것을, 그때는
생각하지 않고 그랬었겠지.

언제까지나 너는 어른으로 커 있고
나는 아이로 작은 자로 있을 것이라
너도 모르게 믿고 있었었겠지.

만약에 내가 너와 같이 늙어지며
머리가 희어지고 어른이 될 줄을
그때 기억할 수 있었었다면
너는 나에게 그러지 못했었을 것인데,

할 말이 없다.
둘 다 희어진 머리로 있으면서
내가 너와 나의 먼 과거의 일을
생각하며 있으니, 할 말이 없다.

같이 이러고 살고 있었을 것을
뭣 때문에 너는 그랬었고

나는 왜 그렇게 눌려서 살아야 했었을까 하니,
독재자인 너의 그때의 모습이 안 됐다.

너를 생각하면 내가
내게 남아 있는 너의 기억을 다 팔아서
너 없는 나로 살고 싶어지지만
그럴 수가 없으니, 내가 아프기만 한 것.

내 희어진 머리카락을 보면서
어린 나의 검은 머리를 본다.
크고 힘 있었던 너와 그 목소리를 듣는다.
내가 그때 이런 모습이었었다면
너는 내게 절대로 그런 짓을 못 하였을 텐데,

너도 아직은 살아 있고
나도 아직 있는 이 공간에서
그때 그 시간과 공간으로 가서
너와 내가 있었던 일을 기억하니
너와 나의 희어진 머리카락이 슬프다.

25. 아이에게 절망인 엄마도 있다.

아이가 엄마를 기다린다.
눈과 마음이 엄마에게 고정되어서
안 보이는 그 엄마를 기다린다.

그 기다림 속에 만난 엄마는
그 아이가 바라는 엄마가 아니기도 하다.
사랑을 미움으로 바꿔서 주기도 하니까.

그래도 아이는 변하지 않은 마음으로
그리움을 가지고 엄마를 기다린다.
날마다 그 아이는 그러하지만

그 기다림의 끝은 화 난 얼굴로
소리를 무섭게 지르는 엄마이기도 하다.
안 보여저서 그리웠었던 엄마는
그 아이에게 채찍으로 오기도 한다.

때로는 기다림이 눈물이 되고
평생을 못 잊을 아픔이 되고 그런다.
세상에서 아이와 엄마는 이런 관계가
되기도 한다는 것을 아는 자는 다 안다.

아이가 기다렸었던 엄마는
그 기다림에 합당하지 않은 답을 주고
절망의 늪으로 그 아이를 떨어지게도 한다.

26. 너는 내 웃음을 훔쳐 갔다.

다 웃는 날
웃지 못하고 산 것이 서러워서
돌아갈 수 있으면 안 그럴까.
착각에 한 번 잡혀 보고

네가 뭔데
철없이 웃을 수 있는 내 길을 막고
무서운 눈 속으로 삼켜 넣어
내 혼을 내놓지 않았느냐.

거지 같은 인생이다.
나보다 너는 더 그런 것이
끝까지 그러고 사는 눈빛
참 거지 같은 인생이다.

내 웃음을 훔쳐 가서
사람들을 향하여 너는 웃었었지.
그 잔인함은 네 등에 붙어서 나를 보고
돌아선 네 얼굴은 숨을 끊은 무서운 죽은 색.

그때는 몰랐지.

어떻게 그럴까를 몰랐었지.
그러나 사람은 처음부터 그러기에 충분한
인간의 실존적인 존재의 진실 앞에서 알고는

악마의 말과 웃음과
위선과 거짓과 즐거움과
그 길에 서지 않은 대가가
내게로 매일 쏟아졌었던 것뿐이라 했다.

27. 천상의 웃음소리

내게 욕설을 퍼붓던
그 입술은 지금 맛있는 것을 먹으며
천상의 목소리로 웃고 있다.

저 웃음 속에 악마가 있었다니
누가 믿고 저 음식들을 저주할까.
힘없는 나만 바보가 된 것이다.

나를 때리던 그 손은
좋은 것들이 뭐 없는가 하고 찾다가
입과 함께 깊은 밤이 되어서야
마치 죽은 듯이 천사처럼 잔다.

나무토막 같은 저 몸이
벌레처럼 슬슬 움직이다가 의식을 찾으면
짐승같이 변하는 이상한 종자.

그래, 사람 아니었구나,
내 생각처럼 그랬으면 덜 아플 텐데
분명 사람이었다는 확실한 증거가
가슴을 찢고 지나가는 통증이 온다.

그 입술은 위선적이고 더럽다.
그 손도 죄가 묻었다.
잠든 그 숨조차도 썩 냄새가 난다.
적어도 내 가슴에 대해서는

28. 나는 네 앞에서 벌레처럼 있었지

말의 이유는 마음에 있고
까닭 없이 매를 맞는 일도
사람의 지나간 시간 속에는 있는데

잠자는 것 같지만
그 잠들 수 없는 시간이
잠자는 몸속에서 눈을 뜨고
절대로 감을 수 없는 때들

네 마음의 이유로
내가 네 혀의 채찍을 맞아야
너의 속이 시원했었던 때
내 마음은 너에 대한 이유가 생겼지.

까닭도 없이 네 손이 내게로 올 때에
서서 온몸의 세포들이 눈물을 냈었고
그치지 않는 번뜩이는 칼날 같은
쇠가 부딪치는 소리 같은 분한 너의 목소리

네 어그러진 마음에서 나는
내 영혼을 죽이겠다 달려드는 음성

심장을 얼어붙게 했었던 독설은
세포마다 살점을 뜯어내 흩뿌렸지.

그러고도 지금 똑바로 나를 보고
내 이름을 부를 수 있는 잔인함이
네 안에 있음을 그 세포들은 법칙대로
혈통처럼 이어서 기억해 주고 있다.

네 마음의 이유로 내가 맞는 날
독설이 매일같이 퍼부어지던 날들
너는 사람이고, 나는 벌레처럼 있었었지.
그러고도 요즘 날 어떻게 그럴까 한다.

29. 심장에 박혔어

잊고 싶어
그 말을
꼭 그 말을

꼭 그 말은
잊어야만 하는데
안 돼서 병아리처럼 하늘을 쳐다봤지.

잊고 싶었어
네가 준 말
그 정해져 버린 말을

심장에 박혔어
미처 못 빠져나왔는지
안 나오고 있는지
박동이 뛸 때마다 아파져.

잊고 싶다.
잊어지지 않는 그 말이
안 잊혀져서 괴로운 생각이
그 말의 꼬리에 붙어서 기생하고 있다.

잊고 싶어서
있는 몸부림을
할 수 있는 몸서리침을
얼마나 얼마나 진저리를 쳐가며 했는데

안 잊혀져서
그 네가 나에게 준 말을
이제는 죽여 버리고 싶게까지
내가 폐어가 되네.

잊으면 살 것 같아서
이보다는 편한 기억의 마음으로
너를 볼 수 있을 것만 같아
오늘도 여전히 그러고 있다.

아무도 몰라서 더 아픈 말
대신해 줄 수 없어 다 고통이 되는 말
니가 내게 준 말은 아직
안 잊어지고 있다.

꼭 그 말을
죽여야 사는 한 포위된 병사처럼
전술을 펴도 안 되네.
어떤 무기에도 맞아서 죽지를 않네.

그 잊을 수 없는 말을
꼭 잊어야만 한다 하는 내가
심장의 뛰는 소리를 듣는다.
살아서 그 말을 기억하는 아픔을

30. 우리 둘만 아는 불행

어여쁜 아가, 어여쁜 아가
네가 있어 내가 행복해졌다고
그렇게 말은 해 주지 못했을지라도
물끄러미 그냥 쳐다보기만 해 줬어도
아가는 당신에게 웃었을 텐데,

아니 그랬네,
인색한 당신에겐 매번 귀찮은 짐
원수 같은 어떤 짐짝이 되어
내가 있었다는 우리의 불행.

어여쁜 아가, 어여쁜 아가
손도 예쁘고, 발도 예쁘다.
그냥 그래 보지, 안 그랬네.
있는 그대로 쳐다만 봐줬어도
아가는 당신을 그리워할 수 있었는데

손도 발도 내게 있다는 이유로
천대받는 원수 것들이 되었지.
일 못하는 손이라
양말과 신발만 축내는 발이라 한

우리 둘만 아는 불행.

어여쁜 아가, 아프지만 말아라 내 아가
아플 데가 어디 있다 그러냐
그래 줬으면
안 아팠을지도 모르는데

아니 그랬네.
아픈 게 괴롭다
돈만 먹는 죄인이라 낙인을 찍었다.

아기는 당신에게 성가신 짐보따리
돈이 안 되는 귀찮은
모든 것에 서툰 쓸모없는 존재
어서 죽어라, 멍청한 자라고
자기가 아는 욕이란 욕은 다 내게로 던졌었지.

멀쩡히 있는 게 그냥 싫었지
그래도 아프기나 해야 혹시 죽을까
양심의 두려움에 쫓겨서 겨우 돌아다 봤고,
어여쁜 아가는 당신에게
그런 대접을 받으면서도 안 죽고서 자라갔다.

그래도 당신을 안 미워할 수 있는
나로 있고 싶어서 몸부림치며
아가의 마음에 가득 찬 슬픈 아픔

용서해야 할 도덕적 양심의 무게에
세상 저 밖으로 멀리 가지 못했네.

31. 잃어버린 것과 기다리는 것들

잃어버린 것들과 기다리는 것들
이것은 과거와 미래일 수도 있고
과거와 더 과거로의 길인 것도 같다.

기대하는 것들은 기다리며
더 많이 잃어버리고 앞으로
가고 있는 자신이기도 하다.

기다리고 있는 잠시 접어 둔
아니면 포기하기로 한 그 시점으로
의도적으로 잃어버린 것들에게로
뒤로 더 뒤로 가고 있는 것이기도 하다.

잃어버린 것들과 기다리는 것들은
중간에 서서 앞의 것과
뒤엣것들을 보고 있는 멈춤의 몸 안에서
마음의 생각이 내게 말하고 있는 것이다.

전환점이라는 것은
다시 앞으로냐, 다시 뒤로냐,
어느 쪽에 등을 주고 걸어가느냐, 하는 것이다.

기대하는 것을 잃어버린 것들인
기다리고 있는 더 이상 함께 나와
걸어서 오지 못한 패배한 것들에도 있다.

기대라는 것은 앞에 있는 미래
가보지 않은 것들에게만 있다는 착각은
늘 우리의 마음을 속이며 데리고 가는 경향이 있다.

그러나 아니지
아침에 나가서 일하다
저녁에 뒤로 돌아서 등을 주고 돌아오는 길은
잠시 잃어버린 것들 속으로 가는 기대함 때문.

잃어버린 것들과 기다리는 것들
이들은 현재의 내게로 와서
과거와 미래로의 길을 보게 한다.

32. 나는 채송화보다 미웠다.

채송화를 밟지 않으려고
한 발을 놓기 위해서
발끝으로 땅을 짚으며 놓았었지.

그 이파리 하나라고 이지러지면
내게 돌아올 미움 때문에
나는 그랬었다.

채송화는 나보다 사랑받는 존재였고
나는 천대받는 아이였으니까.
채송화를 밟는 날에는 나에게
죽음 같은 말들이 비처럼 쏟아져 내렸다.

나는 버려도 채송화는 사랑하는
그 어떤 사람의 증오심이 내게로 와서
사정 없이 나를 짓밟는 것이 싫어서
장독대에 핀 채송화는 내게
공포와 예쁨의 두 마음을 주었었던 때

사람보다 아무것도 아닌 것을
그때는 내게 그랬었다.

얼마나 내가 미웠었으면 그랬을까.
독하기가 독약보다 더 독한 마음이었었다고
그 사람은 그때 그랬었구나를 지금은 안다.

내가 미워서
괜스레 내 존재 자체가 미워서
쪼끄마한 꼬투리만 잡으면 죽도록 싫다는
그 말을 나에게 했었구나를
지금은 내가 다 안다.

33. 사랑할 능력을 잃었다.

사람이 가장 미워하는 것도 사람이고
가장 싫어하는 것도 사람이고
사람은 사람에게 그렇다는 것을
내가 어렸을 때를 생각하며 다시 안다.

사람은 사람을 사랑한다지만
자신을 사랑하는 것이다.
내가 온갖 미움을 당한 그것을
기억 속에서 떠올리면서 생각한다.
사람은 사람을 가장 미워한다고

사람은 사람을 사랑할 능력이 없어
사랑이라고 하는 것에는 깡통이다.
아무것도 사랑을 만들 재료가 없는 존재로
태어나고 있었다는 것을 알았다.

아담이 에덴동산에서
마귀의 유혹에 걸려서 잃었다는 것.
사랑할 능력을 빼앗겨
그래서 람은 사람 꼴을 못 보고
공격할 태세를 갖추고 바라보는 것.

어떻게 저 사람을 공격할까.
마음이 골똘히 그리고 치밀하게 살피는 것이
사람의 속에는 가득하여서
하나님을 공격하기로 하는 것이
그의 창조물 사람을 미워하기로 하는 것이다.

34. 독한 기억의 분노

기억
그것은 기억이다.
독한 죽지 않는 기억이다.

그 기억이 오는 날
독한 독을 마신 것처럼 취해서
비틀거리며 이성을 잃는다.

기억 속에서 나는
기억 속에서 너를 죽여야 하는
원수 놈의 인간이 된다.

기억
그것은 못물 터지듯이 어느 날에 와서는
인생의 뿌리를 흔들어 댄다.

그 기억이 오는 날
미움을 지나서 분노의 수류탄이 터지고
내가 죽으며 너를 잡겠다고 뛰어든다.

기억 속에서 나는 내가 아니라

악마의 화신으로 너를 추격하는
죽이는 독을 먹은 뱃속이 된다.

배 속에 가득 채워진 독을 품고
너를 행해서 돌진하는 폭탄이 되어
기억 속에서 나는 죽으면서
드디어 용기를 내어 네게 반기를 든다.

35. 너의 허물

너의 허물아,
거친 숨을 몰아쉬면서 왔다 갔다
작은창자, 큰창자를 요동시키지 말아라.

나는 너를 그 창자 속에 가두고
방귀로도, 입김으로도 못 나가게 묶으련다.
그러련다. 입과 항문의 자루
그 속에서 숨이 막혀 질식하여라.

내 뱃속에서 죽어라. 너의 허물아,
내가 듣고 본 너의 허물아.
내 창자의 똥 무덤 속에서 죽어라.

악의 무등에 탄 나여,
거기서 속히 내려와 땅에 서라.
땅의 흙에 내려서서 너를 보라.
흙에서 난 창조의 실체를 고백하라.

너는 씻어도 씻어도 흙이요.
털어도 털어도 먼지뿐이요.
그럴수록 티끌뿐인 너의 허물을 보라.

너의 허물을 내가 본
그리고 들은 그것이 화근이다.
거친 숨을 몰아쉬며 폭풍처럼
속에서 탈출하려는 더러움이 괴롭다.

너의 허물아. 내 속에서 죽어라.
창자의 똥 속에서 질식하여 죽어서
영영이 말 못 하는 시체가 되어
내 영혼을 하나님 앞에서 더럽히지 말아라.

36. 웃고 있어도

웃고 있다고
지금 그 사람이 괜찮은 것은 아니다.
그때 그 아픔이 그대로 있고

별일 없이 살고 있다 해서
내가 지금 괜찮은 것이 아니다.
너 보기에는 그럴 뿐.

웃고 있어도 말 못 하는
그 이야기가 내게는 있어
생각하고 싶지 않지만, 꼬리표가 되어지기만 한다.

별일 없이 산다고
내 안에 억울한 분노가 사라진 것도 아니다.
너를 향한 분노와 나를 향한 억울함이 있지.

내 영혼은 운다.
왜 내가 그래야만 됐었을까, 하는
그 아픔이 우는
지울 수 없는 기억이 있다.

내 모든 피로도
네 모든 피로도
못 지우는 내 기억을 향하여
내가 운다.

내 웃음은 그 아파하는 몸에서 나오고
나의 별일 없게 사는 일상도
짓밟힌 기억 속에서 나오는 것.
그래서 나는 항상 괜찮지가 않단다.

37. 누워서 눈물이 주르륵

누워서 눈물이 주르륵하고
떨어지는 것을 느낀다.
네가 나를 매일 밀어내며 버리던
그 말이 기억나서 그랬다.

하나님은 나를 귀하다시는데
너는 왜 그랬었을까.
깊은 구렁에서 눈물이 나서
눈에 가득 물이 차올랐다.

밉지만 해결되지 않는 기억 때문에
가슴이 답답해지고
너의 웃을 수 있는 자유가 싫어서
웃을 수 없는 내 앞에서 웃던
네 자유를 부수고 싶었다.

썩은 막대기에 좋은 옷을 입혀
자랑하던 네가 진절머리가 나서
나는 하나님을 선택하고 너를 버렸지만
내 기억을 못 버려서 눈물이 났다.

누워서 눈물을 닦으며
먼 기억 속에서 나를 만나면
내가 그랬었지, 썩은, 그 썩은 막대기였지.
네가 나에게 그랬었지, 하며 밤이 갔다.

새로운 아침이 왔는데도
기억은 여전히 아직 나를 붙들고
너를 미워하며 하나님을 사랑하라니
너는 지금도 내 기억 속에서
하나님의 뜻을 거역하게 하는 악으로만 있다.

38. 이유 없이 맞던 날

이유 없이 맞던 날
몸이 죽었다.
영혼이 떨었다.

까닭도 없이 네 분노 앞에
내가 서야만 했던 날
전신에 두려움이 옷처럼 입혀졌었다.

아무도 모르게
아무도 말리지 않는
그때에 네 분노는 나를 집어삼켰고

그때 너는 나를 삼키고
배가 부른 후에 그만두었으니
그렇게 매일 나는 네 분노의 밥이 되었다.

이유 없이 나는
네 밥이 되기 위하여 나왔는가.
참았고, 참았지만, 좋은 날은 없었지.
지금은 그 기억의 노예가 되어졌고

까닭도 없이 비처럼 쏟아지던
네 퍼붓는 저주는 나를 지옥에 던졌지.
영혼을 죽이려고 했었으나
그러나 그것은 네 일이 아니라
하나님의 일이라서 나는 죽지 않았다.

그 까닭으로 내 안에 분노가 있고
그 이유로 인하여 사는 게 힘들고 있고
그것들 때문에 나는 하나님 앞에 엎드러지고 있다.

39. 멍든 말을 어디에다 할까.

멍든 가슴
병든 마음
어디다 말할까.

하나님 앞이 아니면
누구에게 말할까.
이 속의 눈물을 누가 안다고
헛소리를 하며 스스로 천해지겠는가.

내 속에 비천함이
하나님을 부르며 고귀해지게 하고
병든 마음과 멍든 몸이
하늘로 가자고 말하고 있다.

억울함이 보약이 되고
저주받던 기억이 소망이 되고
생각을 하니, 그 일들이 나를
저 높은 하나님을 끝까지 바라보게 하는
가장 큰 능력이 되게 하고 있었다.

밟혔던 세포들이 하나님을 만나서

황소 같은 울음을 울고
나는 그 눈물 속에서 새롭게 나와

멍들던 기억과
병들어 죽어진 추억과
미움과 분노의 산의 무덤에서
내가 나를 스스로 죽이던 시간을 끊고
하나님은 내 시간표를 안 아프게 하셨다.

40. 괜찮아진 줄 알았다.

괜찮아질 거라고 했지.
나도 그랬고
사람들도 그랬었기에
믿었었는데 아니었나 봐.

그게 아니었나 봐
멀리 온 후에
지금도 안 괜찮아지고 내가 내게 말하는
그 가슴 아팠던 얘기를 하고 있느니.

괜찮아진 줄 알았어
정말 믿었었어
그런데 아니었나 봐, 아니었나 봐
참을 수 없는 눈물이 난다.

기억 속에서 참아야 한다고
견뎌 온 시간들이 내 앞을 지나가며
너는 계속 아픈 병을 앓고 있었다고 그러네.

누가 그런 말을 지어냈어
괜찮아질 거라고 말이야.

누가 나를 속여서 믿게 했어
속아서 살아온 날들이 더 고통이 되게.

그게 아니었는데
그러지 말았어야 했는데
멀리 와서 지금의 나를 만나서
안 괜찮다고, 너는 쭉 그랬었다고
하염없는 눈물이 내게 호소를 한다.

41. 내 위로는 사람에게 없네.

죽으면 잊으려나
죽어지면 잊어지려나
내 심장에 막힌 기억은 그대로 있네.

뛸 때마다 통증으로
온몸이 아픔으로 전율하던
그 기억들이 조금은 세월에 깎여서
무뎌졌다고는 하지만, 알고 보면 아니네.

아,
나여, 나여,
죽으면 잊으려나 그러려나
죽어지면 그런 일 없었다고 말하려나
죽어지면 너 그 심장을 잊으려나 하네.

사람이 독하고 독하여서
내가 그 지독한 말의 비수에 찔렸지.
그랬었지. 그 옛날 어린 새순
피기도 전에 죽으라고 그랬었어.

죽으면 잊혀지려나

나 죽으면 그 기억에서 풀려나려나
아픔이 오늘도 와서 말하고 있네.

이런 내 가슴의 멍울멍울한
응어리들의 맺힌 한을 누가 알랴.
사람 중에는 없으니
사람으로부터는 위로를 기다릴 수가 없어
하나님 말고 기다릴 위로가 없네.

42. 너를 미워하는 이유가 있다.

미워하는 것은 이유가 있다.
그러나 미움을 받는 너보다
미워하는 내가 더 상처가 있다는 것을 아느냐.

괜히 내가 너를 미워하지는 않는다.
때로는 너 모르게 내가
독을 품은 눈으로 빛을 내서 너를 보고
내게 스스로 부끄러워지는 것 아냐.

미워한다는 것은 내게 상처를 내는 일인 것이
미움을 받는 너보다
내가 더 아픈 까닭에서 나온다.

괜히 너를 미워하게 된 것이 아니라서
이 미움의 끈을 끊을 능력이
내게는 없다고 말하고 싶어진다.

너, 왜 그랬어라고 따지고
너도 나만큼 그대로 당하게 하고 싶다.
그렇게 말해 주고 싶기만 한 것을 아는가.

미워한다는 것은 나를 날마다 죽이는 일이다.
그렇지만 끊을 수 없는 중독성으로
너를 향한 내 미움을 멈출 수 없으니
너는 내게 그 병을 주고야 말았다.

그것은 악마의 일이었지.
네 뒤에 숨은 마귀의 성공이었지.
그래서 나는 너를 향한 미움을 놓고
나를 상처 내서 죽이는 이를 그만둬야만 한다.

43. 인정하기 싫다.

싫다.
싫다.
정말 말하기도 싫다.

지치고, 지겹고
이제는 싫다 .
일방적으로 맺어진 질긴 피의 인연이
싫다.

싫다.
자신의 악을 감추려고
발버둥 치는 저 모습은
내게 악마의 실체를 보게 해서 싫다.

지치고, 힘들고
병든 기억이 와서 미워하라고
그렇게 말하는 것을 들어야 하는
그것도 이제는 지긋지긋해졌다.

싫다.
이 끔찍한 인연이 싫다.

하나님은 내게 왜 그러셨을까.
왜 이런 피의 인연으로 묶어 놓으셨을까.

거부하고 싶다.
인정하기 싫다.
그러나 현실은 운명보다 더 깊은
강한 숙명이라니 어쩌겠는가.
징그럽게 싫지만, 여기서 견뎌야 한다.
그것이 또 더 싫어서 싫다.

44. 기억이 아파서 운다.

기억이 아프다.
저 먼 곳에서 내게로 오는
추억이라는 기억이 아프다.

기억은 나를 분노하게 한다.
저 먼 깊은 곳에서 내게로 오는
추억 속에서 오는 그 기억이 화를 낸다.

기억이 아파서 운다.
내가 우는 것이 아니라
기억이 아파서 눈이 우는 것이다.
분노하는 기억과 나는
분리할 수 없는 샴쌍둥이같이
이렇게 살아야 한다는 것이
누군가를 내게 포기하도록 했다.

기억이 아파서 우는 날에
저 먼 곳에서 작은 아이가
이렇게나 늙어진 내게로 와서
자기가 너무 많이 슬펐었다고 말을 한다.

기억이 아파져서 우는 날에
눈이 눈물을 낸다.
아팠지, 아팠었지, 그때
저 먼 날에 그랬었지, 하며 울었다.

기억이 아프다.
추억이라는 저 기억이 아프다.
그래서 그 추억이 없어졌으면 좋겠다.

45. 다시 그 사람 때문에 고통이

생각을 하면, 그러면
먼 데서 내게 오는 한 사람
그 사람이 내게 아픔을 준다.

나는 약하고, 어리고
그 사람은 강하고, 크고
무섭기만 했었던 생각이 난다.

복종해야 한다고
그래야 편할 수 있을 것 같았지.
어떻게 굴복할까만 생각했었다.

그 생각을 하면, 그러면
먼 곳에서 오는 또 다른 한 사람
그 사람이 내게 슬픔을 준다.

너는 그랬지
약하고, 순하고, 착하고 그랬었지
너무나 착해서 더 아팠었다고 내가 말한다.
그 아이에게 울면서 말을 한다.

생각을 하면, 그러면
내 속의 그 어디에 있다가
먼 거기로부터 내게로 오는 한 사람
그 사람이 내게 분노를 준다.

이제는 강해졌지만, 끝까지
그대로 갚아 줄 수는 없으니
하나님을 생각하며 참는 이것이
다시 그 사람 때문에 고통이 되어지고 있다.

46. 무너지기만 하네.

너는 나를 괴롭게 했어도
나는 너를 그러고 살면 안 된다고
그렇게 다짐을 하지만, 안 된다.

너는 왜 내게 그랬어
그러지만 않았다면 지금쯤은 너와 내가
다정하게 말하며 살고 있을 것을
너는 왜 그랬었는지 몰라.

가만 보면 너도
그렇게 나쁜 사람은 아닌데
왜 내게는 나쁜 사람이 되었는지
알다가도 모를 일이다.

그래도 나는 너를 괴롭게 하지 말라고
하나님이 그러셔서 그 말씀을
내 인생 내내 꼭 지켜서
그 보상을 하늘에서 마지막 날에 받고 싶은데
잘 안된다.

자꾸, 너는 왜 그랬을까.

왜 내게만 그랬을까만 물으며
네가 나에게 쌓아 놓은 악 때문에
내가 이런다고 변명을 하고만 싶어져.

내가 할 일은
너는 나를 괴롭게 만들었어도
나는 너를 떨치고 의연하게
하나님의 인도하심을 따라가야 하는데
그렇게 그렇게 결단을 하지만, 무너지기만 하네.

47. 잠에서야 만나는 자유

긴 하루가 가고
짧은 밤이 왔었지.
아픈 상처가 새겨지는 날에는 그랬었다.

하루는 참 많이도 길었고
밤은 절대 오지 않을 것같이
하늘은 해가 지지 않고 있었지.

아, 그때는
얼마나 캄캄한 밤이 그리웠었던가.
혼자 누워서 눈물을 훔칠
그 위로의 시간이 그리웠던가.

긴 하루는 그렇게
마지막 소망까지 무너지려는
그 찰나에 왔었다.

지쳐서 상처를 생각할 여유도 없는 때에
오직 잠에 곯아떨어져야 하는 때에
짧은 밤은 울 시간도 없이
달게 왔다가 달게 가버렸었다.

아, 그때는
캄캄했었지, 그래서 캄캄한 밤 속으로
도망쳐서 꼭꼭 숨고 싶었지.
그 사람도 그 캄캄한 밤에 갇혀서
나를 놓을 수 있을 테니까.
나는 그 밤에 자유를 찾을 수 있을 테니까.

48. 악에게 놓이는 잠든 밤

낮에는 악의 손에 잡힌
한 작은 포로였었지만
내게 주신 그 밤에는 잊었다.

포로였다는 것을 잊는 시간은
잠이 든 그 순간뿐이었다.
자유케 되었다가 깨어나는 아침은
두려운 긴장이었었지.

악은 밤에도 내 곁을 어슬렁거렸겠지.
시체처럼 자는 내가 깨어나기를
분명히 기다리고 있었을 것이다.

낮의 악한 손으로부터
풀려날 수 있는 때는 시체가 되는
저 칠흑의 어둠인 밤이었다.

악은 내 욕망의 자아가
내 몸속에서 자는 때
내 혼이 시체처럼 죽어 있는 때에
건드리지 못한다는 것을 알았지.

악의 포로로 잡히지 않는 시간은
잠자는 순간만 허락되어졌다.
그 자유는 짧았고, 악에 끌려다니는
해는 길기만 했었지.

지독한 긴장과 두려움이
사람에게로부터 사람인 나에게로 왔었다.
나는 밤이 되기만을 기다렸었다. 그때에

49. 너를 바라보면 내가 아파져서

바라보면 아프다.
너를 내가 바라보면 나이여서 아프다.
먼 그때에 너는 나이었었지.

눈물이 핑하고 생각이 나서
너를 잊고 살자고 하지,
내 속에서 너를 잠재우고 살기로 했다.

문득문득 떠오르는 날에
그런 일이 있어지는 날에는
유쾌하게 웃던 심장이 멈춘다.

그만큼 가슴에 아프게 박혀서
이만큼의 인생을 걸어온 지금에도
너는 전혀 위로가 되지 못했기 때문에
바라보지 말자고 등을 돌려서
앞으로만 나아가자고 말해 본다.
기억 속에서 너는 죽은 것으로 묻고
오늘의 나로 살아가자고

바라보면 아파져서

너를 내가 안 바라보기 위하여
앞만 보고 저 십자가를 향하여서
빨리빨리 가고만 싶어진다.

완전히 거기에 당도하면
이런 기억은 다 사라지는 것일까.
새로운 사람으로 완전해질까.
약속을 지키시는 하나님만을 믿는다.
그것만이 내 유일한 소망이니까.

50. 절망적인 포기

어렸을 때에
내가 본 그 사람은
여전하다고 느끼는 그 마음이 있고
절대 변하지 않은 마음을 또 본다.

그 사람은 내 기억 속에서
그 상태로 있다.
나는 자랐지만, 그리고 그 사람은 늙어졌지만
그 사람은 그 사람일 뿐인 것을 알고

나도 그때 거기에 머물러서
그 감정으로 그 사람을 보고
아마도 그 사람도 그럴 수 있지 않을까 한다.

때로는 그래서 속상하지.
나는 왜 그 사람을 만났을까.
더 좋은 운명의 사람을 만났었으면
내가 이러지는 않았을 텐데,

절망적인 포기가 있다.
내가 할 수 없는 그 일 앞에서

하염없이 무너지는 내가 있다.

그 사람 때문에
내가 이러지, 하는 원망이 될 때에
만사가 귀찮아지는 의욕 상실로 간다.
잡아서 막고 싶지만, 그 힘은 거세서
사람의 마음은 곧 휩쓸려 떠내려가고
소금에 절인 배춧잎과 같이 된다.

51. 내가 당신을 만나서

내가 당신을 만나서
행복했었다고 말할 수 있으면
지금 나와 당신은 얼마나
그리움으로 살아갈 수 있을까.

당신을 만나서 아팠었던
그리고 두려웠던 시간들이
다 지나고 여기에서 나는
당신을 생각하게 된다.

그렇게 그렇게 시간이 가고
당신은 그 험한 눈빛도 죽고
그렇지만 쳐다보기가 싫은
섬뜩한 마음이 내 안에서 움츠러들게 되지.

내가 당신을 만나서
더 불행해지지 않았나 했었던
그 뼈아픈 눈물로 다 가고
내 안에서 당신을 버렸다.

나는 당신을 원하지 않았지만

당신은 나를 원했기에
내가 이 땅에 빛을 보았겠지.
그랬으면, 잘했으면 얼마나 좋았을까.

나는 당신을 만나서
두려웠었고, 괴로웠었고
항상 긴장되고 가슴이 조마조마했었고
숨도 크게 쉬면 안 될 것 같은
그런 무서움이 내게는 있었지.

52. 몸과 혼과 영이 모욕을 당했었지

이 몸이 당한 것을
그 세포의 수치스러웠던 것을
내가 다 어떻게 알아서 말할까.

전부 다 말로 표현 해 내고 싶지만
다는 알 수 없어서
그냥 슬펐었고, 아팠었고
비참했었다고만, 말하는 것이다.

이 혼이 당한 그 일들을
그 혼의 모욕스러웠던 것들을
내가 다 알지 못하는 까닭에
다는 말하지 못하는 무능함에 빠진다.

내게 있는 영이 울던 날에
나 자체인 내 혼이 울었었고
그 몸이 눈물을 훔치었었다.

너는 내게 그랬었다.
내 몸과 혼과 영에게 수치를 주고
멸시와 천대의 언행을 내게 가했었다.

나는 삼중으로 아팠었지.
몸과 혼과 영이 모욕을 당했었지.
그때에 하나님이 내게 보내신 천사가
나와 함께 있었다는 것을 아는가.

그래서 나는 예수님을 기다렸고
매일 천사가 어깨 위에 있다고 느꼈었고
소망이 저 멀리 하늘에 있다고 믿었었다.

53. 힘없는 존재였던 내게

힘없는 너인 것인 것을 알았다면
그때 내가 그만큼까지 알 수 있는
아이가 아닌 어른이었었다면

나는 너를 곁눈질로 보면서
벌벌 마음속으로 떨며
움찔움찔 놀라지는 않았을 것인데

그때에 나는 아주 작은 아이였었고
너는 강한 자였지.
사람은 힘없는 존재라는 것을

알았었더라면 나는 지금
이만큼까지는 상처가 나지 않았을 것을
어려서 몰랐었던 그 순수한 무지가
너에게 복종해야만 사는 줄 알고

어떻게 하면 너에게 잘 보여서
하루를 평안히 보낼까 했었지.
무사한 하루만 기다렸었지.

그러나 단 하루도
내 앞에는 그런 날이 예비되어 있지 않았었음을
또 내가 모르고 있었고
너는 내게 그냥 두려운 존재였었다.

인간이 세월 앞에
얼마나 쉽게 바스러지는가를
그때에 알았다면 내가
너를 두려운 존재로 겁먹지는 않았을 것을.

54. 참아 왔던 눈물

눈물이 난다.
소리 없이 내 안에서
오래된 눈물이 난다.

그때 아팠었다고
그때는 강제로 막아서 못 흘렸었던
참아 왔던 눈물이 흐른다.

저 아득한 강물처럼 흘러가면서
그때의 아픔과 슬픔을 기억한다.
소리 없이 내면에서 나는
종종 기억이 날 때면 그런다.

누가 알랴.
나만 아는 것이지.
사람 중에는 나만 아는 것이지.
그때의 그 감정으로 말이다.

누가 알랴.
하나님만이 하나도 잊지 않으시고
다 기억하고 계신다는

그 하나님이 기억하신다는 그것으로
나는 살 소망이 있어서 버틴다.

눈물이 난다.
소리 없이 먼 그때의 나를
내가 기억하면서 오래도록 묻어 둔
슬프고 서글픈 눈물이 난다.
저 아득한 강물처럼 흘러간 그 일들을
나는 잊어지지 않아서 괴로워하면서.

55. 수없이 잊으려고 했다.

수없이 생각을 해 보지만
그 생각만으로도 슬퍼지고 있다.
그래서 그 생각을 접으려 했지만
너무 아픈 기억이라서 안 된다.

살아 있는 동안에는
아무래도 나는 그 생각으로부터
벗어날 수 없는 노예가 될 것 같은 것.
그것이 더 슬퍼지는 것이다.

살아 있어서 기억할 수 있다고
기억할 수 있어서 살아 있는 것이라고
지금 내가 살아 있는 것에 감사하면
그것들은 다 아무것도 아닌 것인데,

사람이 마음처럼 그렇게
생각이라는 것은 되지를 않더라.
시간이 가고, 수없이 생각을 했었고
그러나 나는 슬퍼지고 있었다는 것을
내가 알았지.

그냥 무덤덤하게 안 살고 싶어지면
더 마음이 아파지는 것은
슬픔이 내 안에서 크기 위함인가.
추억이 버거운 짐이 된다.

56. 멀리 떠나고 싶었다.

멀리도 가보려고 그랬지.
이 땅조차 안 밟고 싶어서
지긋지긋한 사람들로부터 내 얼굴을 숨기고
마치 없는 것처럼 살고 싶어서 그랬지.

그래, 그랬었지.
너무나 힘겹고 그래서 그랬지.
마음이 처절하게 이겨 보려고 싸우다가
내가 나와 싸우던 그 전투에서 지고는
피 흘린 그곳을 떠나서 잊으려고

멀리로 가서 한번 살아보면
지금보다는 훨씬 나아질 것 같아서
그때는 정말 그럴 것만 같아서

그렇게 무작정
여기만 아니면 된다, 하는 마음으로
저 사람들과 저 익숙한 풍경들만 아니면
꼭 될 것만 같아서 그랬었지.

그런데 멀리 가보지도 못하고

이렇게 살 줄을 누가 알았겠는가.
마음대로 되지 않더라고 말하고 싶은데
속에서 용기가 없어서 시도하지 않았다고
내게 말하는 내가 있어서 못 하겠다.

지긋지긋했었던 이곳에서
더 잘 살고 싶어지는 것은 무엇인가.
그렇게도 죽어져서 다시는 겪고 싶지 않았던
삶의 굴레를 벗고 싶어 했었으면서
왜 나는 더 잘 살아야 한다고만 할까.

57. 사람은 왜 그러고 사는가.

사람에게 있어서 사람은
기대이고, 의지이고, 소망이고 그렇지만
무너지는 절망이기도 한 것은 사실이다.

사람은 왜 이러고 살고
또 저러고 살면서 사람에게 걸림이 되고
괴롭다는 생각을 하게 하는 것인가.

사람을 사람으로서 생각을 하면
아픈 것들이 더 많은 것이다.
너도 그렇고, 나도 그렇고 그런데
그것들은 또 대부분 사람 때문이었다.

사람은 왜 그러고 살 수밖에는 없었는가.
내가 내 아픔을 생각하면서
사람이 스쳐 지나가며 낸 상처가
그 사람의 삶이었고, 내 삶이었음을 본다.

네가 산 것이 내 아픔이었고
내가 산 것이 네 괴로움이어서 그랬었을까.
내 의지였던 당신이 내 절망이 되었던

그때를 나는 기억했다.

사람이 왜 그러고 살았는가.
당신이나 나나 왜 그랬을까.
나는 당신의 그늘에서 햇빛을 피할 수 없었고
가시에 찔리기만 했었다는 기억
차라리 햇볕이 더 나았다는 생각이
내게는 소망이 되어졌을 뿐이었다.

58. 밟히는 꽃으로

꽃이 되고 싶었다.
예쁘고 사랑스러운 작은 꽃이
나는, 나는

그러나 사람 꽃이 되어
영과 혼이 있는 사람으로
사랑스럽게 피려고 나왔었지마는
대접받는 꽃으로 피어지는
꽃봉오리가 벌어지면서 더 예뻐지는
그런 아이로 자라고 싶었었다.

그러나 세상은 나를 짓밟기로 했었으니
나를 낳은 그 사람이 가장 먼저
작은 꽃잎이 피어지기도 전에
조금씩 이지러뜨리고 있었다는 슬픔.

꽃이 되고 싶었다.
그러나 하나님은 나를 사람으로 피게 하셨음은
내가 꽃이 되는 것을 허락하지 않으셨다는 것.

예쁘고 사랑스러운 사람으로 피라고

하나님은 이 땅에 꽃으로 보냈다시는데
그러나, 그러나 사람은 좋아하지 않았었다지.

꽃이 되고 싶었어, 정말 아름다운
칭찬받으며 예뻐지는 꽃이고 싶었었어.
밟히며 살아남는 꽃은 아니고
그런 사람 꽃은 아니고 싶었었다.

59. 당신은 기막힌 사람

당신은 기막힌 사람
좋은 쪽으로 그랬으면 그럴까.
그게 아니라서 더 기막힌 사람.

당신은 아니라지만 나는
내 눈물 속에서 기막히지.
나 같으면 보기도 아까웠을 텐데 하지.

당신은 안 그랬나 보다.
당신 눈에 나는 안 그랬나 보다.
그래서 기막힌 사람.

내게 당신은 그래서 기막힌 사람.
끝까지 얼굴색 하나 안 변하고
내 앞에서 말을 하는 게 더 기막히지.

사람이 사람에게 그럴 수가 있다고
나는 당신으로부터 처음으로 배우기 시작했다.
당신은 내게 사람의 본질을 알게 했다.

아픈 눈물의 상처 속에서

사람이 사람을 알아보는 것이라네.
사람은 그곳에서 껍질을 벗고
실체적 알몸으로 서는 것이라네.

당신에게 기가 막힌 내가
사람의 본성은 사랑이 아니라
미움이라고 깨닫는 것은, 그 후로
사람이 세월의 바람에 많이 삭아졌을
그때에 알아져서 이해가 되어졌다.

60. 삭제하고 싶은 너

너를 생각할 때
내 미움이 작동하지 않았으면 좋겠는데
미움이 너를 먼저 생각하게 한다.

지나가는 무슨 장면을 보면
너에게로 향하는 내 미움을 보고
지나가는 무슨 소리를 들으면
너에게로 빨리 뛰어가는 미움 폭탄을 만진다.

나를 생각할 때
네가 거기 대기하고 있다가
내 미움의 스위치를 켜는 너를 본다.

아마도 내가 너에게도 그런 존재였는가.
그런가 묻고 싶다.
미움과 싫음만 발동시키는 존재가
네 인생에서는 나였었는가를 묻고 싶다.

스치는 나의 모습에도 질겁하고
들리는 목소리에도 소름이 돋는
그런 존재가 나였는가 물어보고 싶다.

왜냐하면 내가
너를 생각할 때나, 나를 생각할 때나
너를 그렇게 느낀다고 말하고 있거든.

네가 나를 그렇게 보았었고
그렇게 느꼈었던 감정이 내게 기록되어서
지금 내가 그러는 게 아닌가 하니
너는 내 인생에서 삭제하고 싶은 사람이 된다.

61. 내게 인색했었던 길

옛길을 걸으며
그 길을 걸어가던 나를
내가 보며 보며 걸어갔다.

그것이 옳다고
그 말이 법인 것같이 따라서
이 길을 그렇게 걸어서 걷고 걸어
그렇게 다니고 다녔었는데,

지금은 그 길이 아니지만
생각 속에서 그 길을 걷는 것이었다.
순종만이 답이라고 믿었던 시절
그래도 돌아오는 칭찬이 없었던 시절.

인색한 길이었었네.
그 길을 걷던 나에게는
등에 지워진 짐뿐이었다고 옛길을
기억하며 천천히 걸어서 갔다.

이런저런 생각이 났다.
그 길에 서니, 누구와 나눌 수 없는

나만의 이야기가 따라서 왔다.
그때 그랬었었다고 그러고 있었다.

그 나와 지금의 내가 함께 걸으며
서로가 나를 생각하고 있었고
동시에 독하고 무서웠던 얼굴 하나도
우리 둘을 끝까지 따라서 오는 것을
멀리 쫓아 버릴 수가 없어서 괴로워졌다.

62. 다 웃고 있을 때

침묵 속에서도 울었던 날
잠에서도 울었었던 날
세상은 나에게 가혹했었다는 기억

사람들 사이에 처한 약한 내가
이러지도 저러지도 못하고 살아야 했었던
약자의 서러웠던 날에 나는
소리 나지 않는 울음을 끌어안고 잤다.

다 웃고 있을 때
혼자 웃을 수 없었던 때에
그들을 바라보며 우는 내면의 나는
벗어나리라 결심을 세우고 있었고

침묵 속에서 말하던 날에
약자의 억울함을 알았다.
세상은 강한 자의 말에 귀를 기울이고
진실은 무능해질 뿐인 것.

잠에서도 두고두고 억울했었던 날
산다는 것이 기막힌 일이었지.

진실은 강자의 것이었다.

다 웃고 떠들며 놀고 있을 때
혼자 허드렛일을 해야 했었던 날
그 날들이 쌓여 가야 어른이 되는 것.

눈물은 그렇게 침묵 속에서
탈출할 날을 기다려야만 했었다.
세상의 가혹함에서 떠날 수가 있었다.

63. 하나님이 그려 준 초상화

나는 나를 그렸었다.
머릿속으로 현실을 부정하고 있는
그랬으면 좋겠어서

내가 원하는 나가 있었다.
그림 속에 있는 나는 행복했고
그림 속으로 들어간 나는 그랬었다.

행복하지 않았던 것이지.
눈치 보며 오금을 못 펴며 사는
내가 끝나질 않을 것 같아서

심장이 자유롭게 뛰던 그림 속의 나는
아직은 미완성이었을 때에
그러나 그 나를 또 한 번 버리고
하늘에서 약속된 그림을 받았다.

그것도 눈에 보여지는 현실은 아니지만
현실로 이루어진 사실적 그림이었다.
내가 그린 나와는 다른 나였다.

불행으로 가는 땅속의 기차 안에서
어린 나는 하늘로 날아간 새처럼
그들이 잡을 수 없는 혼이 되어졌다.

내가 원하던 나보다 더 잘 그려진
하나님이 그려 준 초상화는 웃고 있었다.
이미 그렇게 되어졌다는 말을 믿게 되어졌다.
거짓이라고 해도 진실이라고 믿고 싶어졌다.

64. 네 말을 잊는 것이 어렵다.

너를 잊어야 하는 것보다
네 말을 잊어야 덜 아픈데
그것이 안 된다.

너를 잊는 것이 안 되는 것은
네가 행한 일이 안 잊어져서
그러는 것인 줄은 아는데 안 된다.

너를 잊기보다는 네가 한
그 말을 못 잊어라, 하는 것.
그래서 치유가 되지 않고 있다.

너를 잊는 것보다 네 말을 잊는 것이
얼마나 인생에서 어려운가.
그것이 안 된다.

너보다 오래 남아 있는
네 말에 찔리고 있는 내가
그것을 잊어야 새살이 돋을 텐데,
말의 지옥에 갇혀서 창살 사이로 보이는
네가 안 잊혀지고 있다.

너는 잊은 듯할 때가 있어도
네 말은 아니 그러는 날
그 말이 너를 다시 지옥으로 보내라고 하지.

네가 한 말을 잊어야
너를 잊는 것인데, 안 된다.
그 일이 그렇게 큰일이구나 싶다.

65. 험한 길 한중간에서

그 길
험한 길 한중간에서
네가 생각나서 생각했다.

안 행복했었구나,
내가 그랬었구나,
너를 증오하며 더 울었다.

이 길이 내 길이었는가.
이렇게 살아야 하는 게 나였었는가.
안 살고 싶어졌었다.

그 길
그 험한 길 가운데서
남은 길을 뚝 잘라 버리고 싶었다.

불행이 따라오지 못하도록
내가 멈추면 그러겠지, 그랬다.
그럴 수 있었으면 했다.

왜 불행해지도록 그랬었을까.

행복해하는 내가 미웠었을까.
내게 생각나는 너는 분노였다.

험한 길까지 온 것은
너 때문이라고 믿었다.
내게 심어 놓은 너의 분노와 좌절이
내 안에 잠자고 있어서 그런다고
원망하며 남아 있는 길을 뚝 끊고 싶었다.

66. 먼 예수님을 본다.

너를 보는 것이 힘겨울 때
먼 예수님을 본다.
나는 왜 이럴까.

이런 나를 보는 것이 힘겨울 때
다시 오신다 하시고 가신
십자가에서 죽어 부활하신 예수님을 본다.

그분도 내가 왜 이럴까.
하셨을까. 그러셨을까.
너도, 나도, 보는 것이 힘겨울 때
그래 본다.

너는 왜 그래야만 되었었고
왜 나는 이래야만 되었었는지.
이해하고 싶지도 않을 때에
우리 둘 다를 떠나서 나는 예수님께로 간다.

너를 생각하는 것이 돌 무게로 누를 때
일어서지 못하고 짓눌린 마음이
상하고 너덜너덜 찢어진 나를 본다.

그런 것을 보는 것이 힘겨워서
너를 증오할 수밖에 없는 내가
예수님 앞에서 또 하나의 죄를 쌓으며
초라하게 무너져 내려 어두움에 갇힌다.

너를 보는 것이 힘겨워질 때
아련한 아픔이 밀물처럼 들이닥치고
한참을 어둠 속에 있다가, 저 희미해진
십자가의 예수님을 보고 겨우 도망칠 힘을 얻는다.

67. 네게서 내게로 악이 오는 날

사람의 속에 있는 악이
쏟아져서 낮고 약한 데로 오던 날
고개를 숙이고 눈을 땅에 박았다.

악을 피해서 흙 속으로 간 눈
심장 속으로 숨은 숨
그리고 굳어져서 박혀 버린 발.

너는 그렇게만 오고
나는 그렇게만 되어지고
마음은 하늘의 예수님과 별들에게로 갔다.

거기서만 쉼과 평안과
완전히 너를 피할 구멍을 찾을 수가 있었지.
고개를 들고 눈을 땅에서 뽑을 수 있었었지.

네게서 내게로 나오던 악으로
흙 속으로 들어갔던 눈들과
피의 전투, 심장 속으로 간 숨들이
하늘에서만 자유로울 수 있었다.

악 앞에서 마비되었던 다리들이
자기의 굳은 발들을 옮길 수 있는 힘은
하늘에 대한 하나님의 소망
예수님이 데리러 오신다 하신 그 약속에서만 왔다.

사람인 네 속에서 악이 오던 날은
쉬는 법을 잊은 지독한 중독이었고
두려움의 중독에 안 빠지려고 나는
높은 하늘로 도망쳐서 숨었었다.

68. 내게 미안해서

눈물이 난다.
눈물이 난다.
빨간 해처럼 빨갛게
눈에서 눈에서 두 눈에서 눈물이 난다.

너무나 슬프고 억울해서
아무 말도 못 하고서 당하고만 서 있었던
강자 앞에 미약한 존재로
죽음같이 있었던 내가 미안해서 눈물이 난다.

나는 왜 그랬었을까.
한마디라도 죽을 각오를 하고서
대들고는 차라리 그 손에 죽을 것을
지금에서 후회가 나서 죽겠는 심정에서
눈물이 나서 빨갛게 뜬 해를 봤다.

그때 저 해도
그 자리에 있었었는데
그때 저 해를 만든 하나님도
그 자리에 계셨었는데
왜 그분은 그 악한 손을 붙잡으시지 않으셨을까.

눈물이 난다.
눈물이 난다.
억울해서 죽을 것 같은 터지는 가슴에서
피같이 터지는 눈물이 난다.

버리자. 버리자.
그 사람을 버리고 하늘로 하나님께로 가자.
미약했었던 그때 그대로 가자.
나는 꼭 거기에 가야만 그 눈물을
이제는 그칠 수가 있을 것만 같아서다.

69. 너는 좋겠다.

너를 만나서 행복했었다고
그 말 한마디를 하고 죽을 수 있는
그 사람이 나였으면 좋겠다.

간혹가다 TV에서 나오는
어떤 사람이 부러워지는 날 나는
왜 그런 사람을 못 만났는가 한다.

그런 사람을 만나
그 사람은 좋겠다 하는 마음이
내 아픈 과거의 열쇠를 열고
그 문으로 들어가는 것을 본다.

너를 만나서 불행했었다고
그 말 열 마디를 남기고 죽을 수 있는
그 사람이 나인 것을 기억시킨다.

너는 좋겠다.
나는 이런데, 너는 잘 만난
그 사람 하나로 행복할 수 있어서
그 말을 남기고 죽을 수 있어서

너를 만나서 행복했었다고
그 말 한마디를 하고 죽을 수 없는 나는
참 슬픈 사람인 것 같다.

그런 사람을 못 만나서
내 인생의 불행했던 기억이
죽음까지 따라오고 있으니까.

70. 기적을 기다렸다.

기적을 기다렸지
그때 그랬었지
기적이 내게도 있어야 한다고
속으로 애타던 때가 있었다.

오늘이 지나가고
내일이 또 와서 오늘이 되었고
그래도 내가 꿈꾸던 기적은
나의 것이 되어지지 않았다.

현실은 언제나 버거웠지
그래서 기적을 끝까지 못 놓고
헛된 꿈인 줄 알면서도 스스로 아니라고
머리를 흔들면서 부정하며 기다렸다.

천사가 올 거야, 그럴 거야,
예수님이 천사를 보내실 거야,
그날은 반드시 올 것이라고 믿었다.
그 기적이 일어나면 나는
꿈만 같은 날을 맞을 수 있다고 믿었다.

지금까지 그 기적은 안 일어났다.
그러나 놓을 수 없는 것은
꿈이라서 깨고 싶지 않기도 하지만
예수님을 믿기 때문인 것.

그 기적은 이루어질 것이다.
지금 내가 가고 있고
하나님이 내게로 오고 계시고
나의 죽음과 하나님의 생명이 만나는
그 지점에서 나는 그 기적을 볼 것이기 때문이다.

글을 마치면서

먼저 이 책을 선택하여 주신 독자 여러분에게 감사를 드립니다. 읽으시면서 실망하지 않으셨다고 말할 수 있었으면 좋겠고, 잘한 선택이었다고 생각할 수 있는 책이었으면 합니다. 각 사람은 다 생각이 다를 수 있기 때문에 다 느끼는 감정이 다르니까요. 어쨌든지 간에 우리는 서로가 한 사람의 가치를 하나님에게 인정받으면서 자존감을 가지고 고귀한 사람으로 살아갔으면 좋겠습니다.

저자 문영순